Collecti

dirigée par
Jean-Olivier Héron
et Pierre Marchand

ISBN 2-07-033561-5

Dépôt légal : Mars 1990
N° d'éditeur : 48276 — N° d'imprimeur : 50688
Imprimé en France sur les presses de l'Imprimerie Hérissey

sempé

Marcellin Caillou

DENOËL
Editeur

Le petit Marcellin Caillou aurait pu être un enfant très heureux comme beaucoup d'autres enfants,

Malheureusement,

il était affligé d'une maladie bizarre : il rougissait.

Il rougissait pour un oui pour un non.

Heureusement, me direz-vous,

Marcellin n'était pas le seul à rougir.

Tous les enfants rougissent. Ils rougissent quand ils sont intimidés ou qu'ils ont fait une bêtise.
Mais, ce qui était troublant dans le cas de Marcellin, c'est qu'il rougissait sans aucune raison.

Ça lui arrivait au moment où il s'y attendait le moins.

J'ai l'impression que je commence à rougir...

Qu'est-ce que je suis rouge !..

Par contre, au moment où il aurait dû rougir, eh bien, dans ces moments-là, il ne rougissait pas...

Tu n'as pas honte ?..
Si, mais je n'arrive pas à rougir..

CHOPIN
Mozart

Bref. Marcellin Caillou avait une vie assez compliquée...

Il se posait des questions. Ou plutôt une question

Pourquoi je rougis comme ça ?..
jaimerais bien savoir pourquoi je rougis commeça !

toujours la même :
pourquoi je rougis?

Je pourrais vous raconter qu'une Fée — la Fée de la Forêt — utilisa ses dons surnaturels, ou, que dans une grande ville

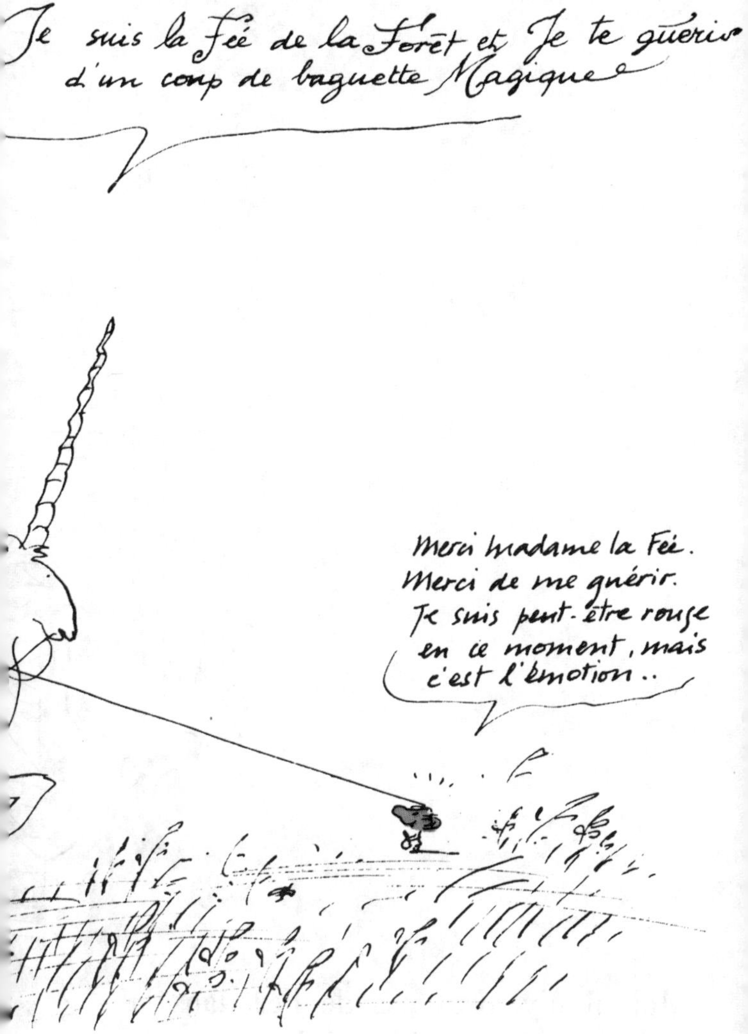
Je suis la Fée de la Forêt et Je te guéris
d'un coup de baguette Magique
Merci Madame la Fée.
Merci de me guérir.
Je suis peut-être rouge
en ce moment, mais
c'est l'émotion..

moderne, un habile médecin triompha de ce cas intéressant.

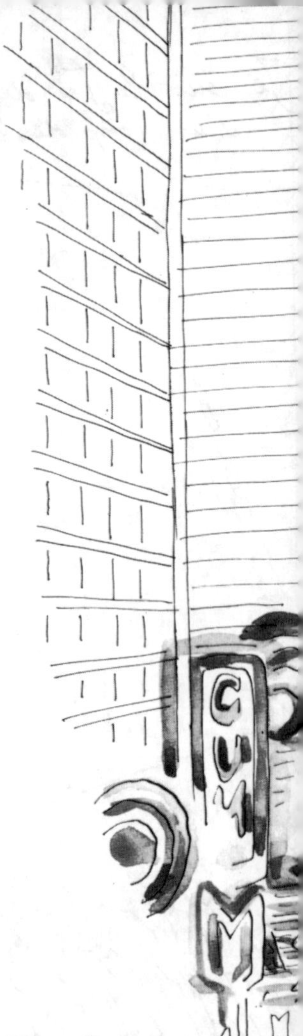

Mais il n'y avait pas de Fée dans la région, et, bien qu'il y ait beaucoup de médecins dans les grandes villes modernes, aucun ne fut assez habile pour le guérir.

Je sais pourquoi tu rougis : c'est parce que tu t'appelles CAILLOU..
J'aime bien CAILLOU. c'est joli..
DOCTEUR SABOT 10e etage

Marcellin continua donc de rougir

qu'est ce que tu es rouge marcellin !
moi ?..

sauf, bien entendu au moment où il aurait vraiment fallu...

Marcellin : zéro double zéro. Parce qu'il a copié !..

(tous ses petits camarades rougissent d'émotion en pensant que pareille mésaventure pourrait leur arriver, mais, lui, Marcellin ne manifeste aucune émotion apparente)

Peu à peu, il devint solitaire. Il ne se mêlait plus à ses petits camarades qui, pourtant, s'amusaient à des jeux passionnants comme la bataille à cheval, le train, l'avion et le sous-marin.

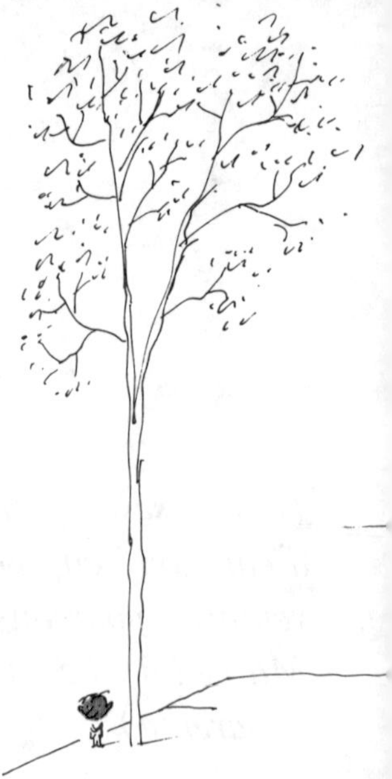

PIPOUGNAC POËTE
Vous avez vu comme il est rouge ce petit ?..
Il doit couver une maladie..
qu'est-ce que tu es rouge Marcellin !..
que tu es rouge !
rouge !
tu es rouge

VRR...
VRRRR
VRRRRR
TCHEU
TCHEU...
TCHEU
TCHEU
GLOU
GLOU

moi rouge ?..
vous rêvez !..

Car il supportait difficilement qu'on lui fasse des remarques sur son teint.

Il préférait jouer tout seul.

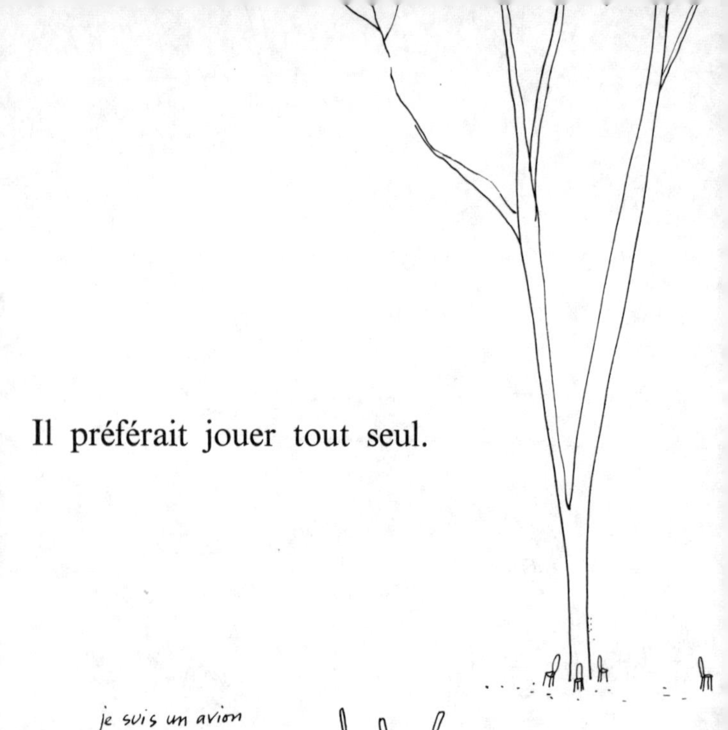
je suis un avion tout rouge. qu'est-ce que je m'amuse!...

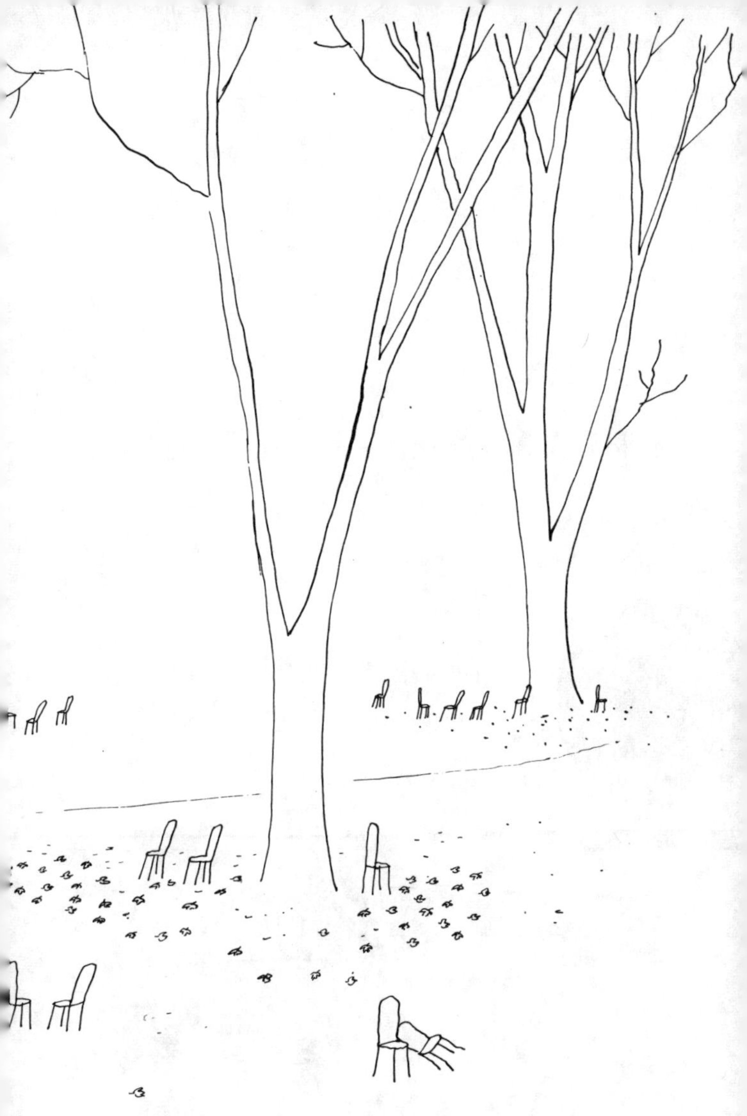

Il regrettait le temps des vacances, au bord de la mer, car là, au moins...

tout le monde est rouge et content de l’être.

Parce que, même en plein hiver, quand

tout le monde bleuissait de froid, il lui

arrivait d'avoir une coloration étrange pour la saison...

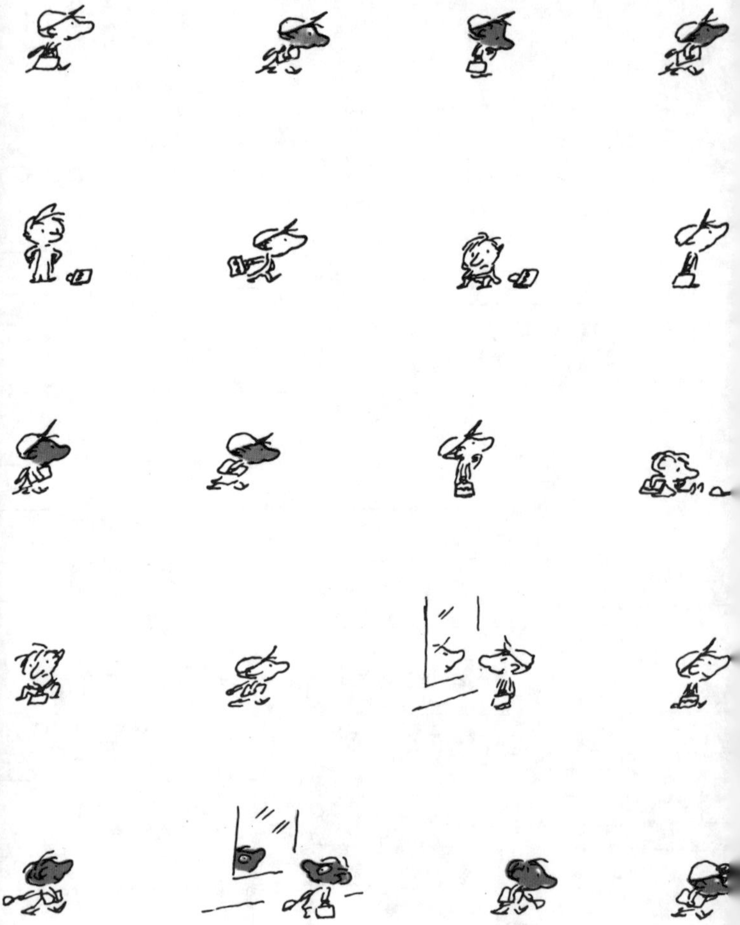

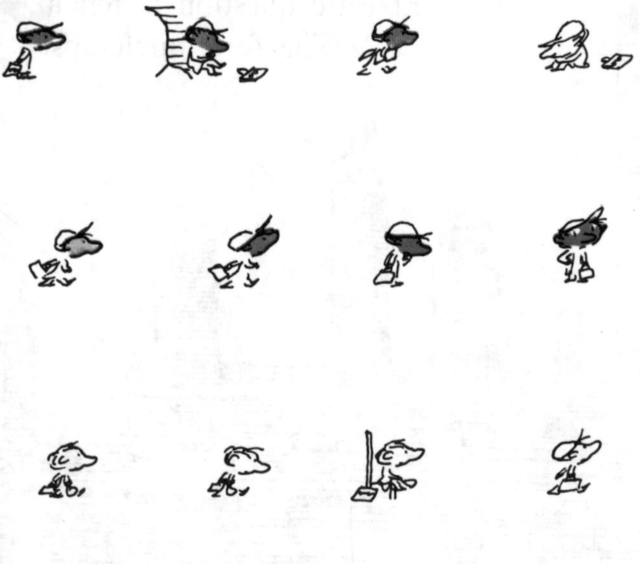

Il n’était pas *très* malheureux, simplement il se demandait comment, quand et pourquoi il rougissait.

Et cette question le tenait
éveillé fort longtemps.

Un jour qu'il rentrait chez lui, en rougissant de temps en temps...

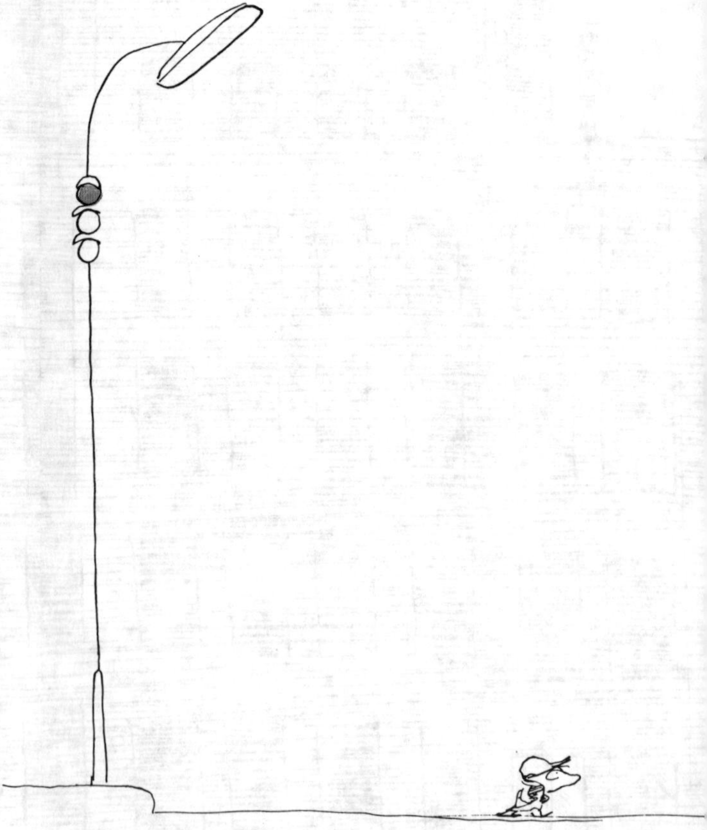

il entendit, dans l'escalier, un bruit qui ressemblait à un éternuement...

ATCHOUM!

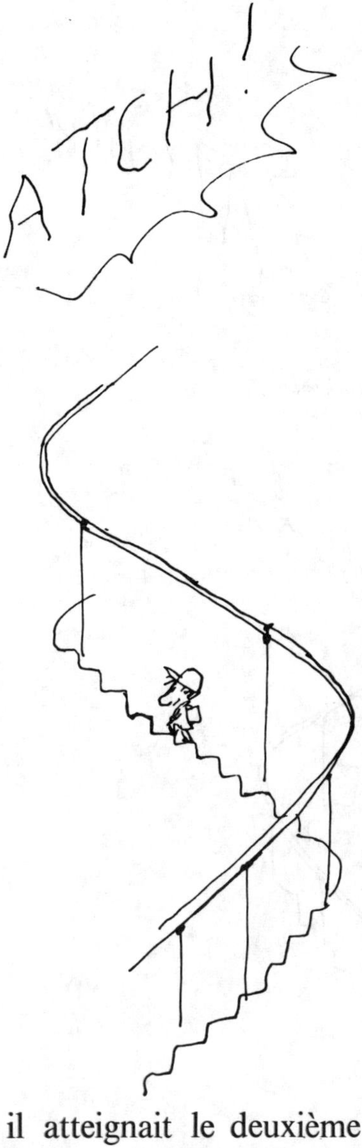
ATCH!

Comme il atteignait le deuxième étage, il entendit un autre éternuement...

ATCHOUM!
Il est enrhumé celui-là!

au troisième, nouvel éternuement...

ATCHH!

Il aperçut, au quatrième étage un jeune garçon. C'était lui qui éternuait de la sorte...

— « Tu es enrhumé »
lui dit Marcellin

moi ? non. Pourquoi ?

C'était René Rateau, son nouveau voisin.

Le petit René Rateau était un enfant délicieux,

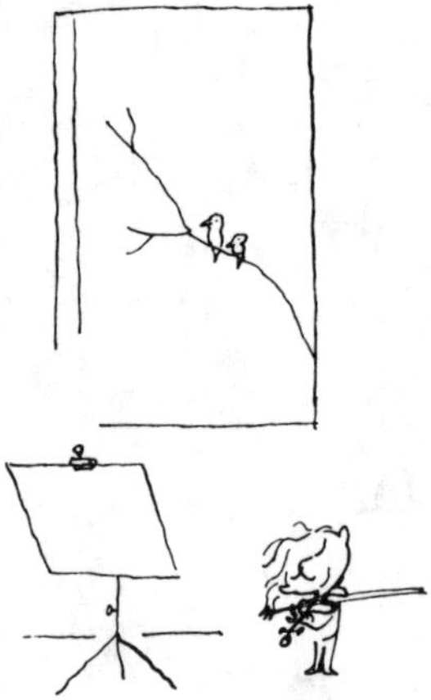

ATCHOUM!

Violoniste délicat, excellent élève, il était affligé depuis son plus jeune âge d'une maladie curieuse :

a à
a
a
a
a
a
a
a
a
ATCH

il éternuait souvent, sans, pour cela, avoir

jamais connu le moindre rhume...

Il faut te faire soigner mon petit!..
ACIE

Il raconta à Marcellin que cet éternuement importun lui rendait la vie difficile (n'avait-il pas éternué, un soir où il jouait avec de grandes personnes chez Madame Veuvarchy

dont les soirées musicales étaient fort prisées à Broucigny-sur-Orge) l'événement fit grand bruit à l'époque,

la si la do ré la do ré fa mi sol la la LAAAAT...

et René Rateau ne trouva de consolation que dans des promenades solitaires au bord de la rivière dont le calme des eaux, le doux chant des oiseaux consolent bien des maux...

ATCH

Je suis le Bon Génie de la Rivière, et, grâce à mon pouvoir je te délivre de tes éternuements...
On croit rêver....

Je ne vous raconterai pas que le Bon Génie de la Rivière survint et le guérit. Dans la région il n'y avait pas de Bon Génie (ni de mauvais d'ailleurs).

Ou qu'un grand médecin, dans une grande ville, le soulagea grâce à des petites pilules.

Non, personne ne le guérit. Ni Génie ni grand médecin...

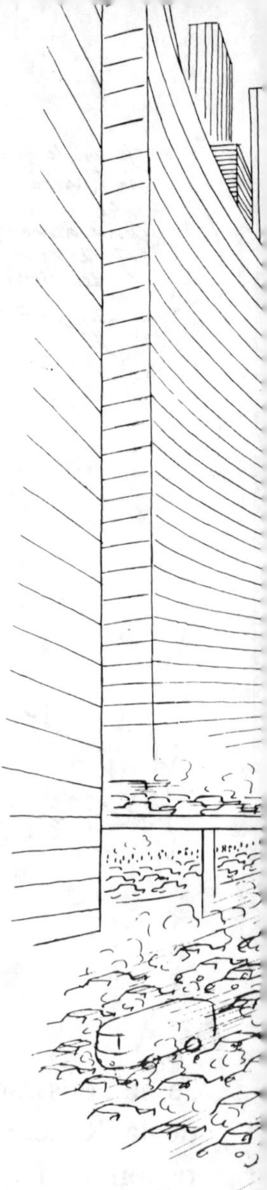

je vais te guérir : c'est très gênant d'éternuer comme ça. ça fait du bruit..
ATCH!

Il n'était pas *très* malheureux. Simplement son nez le chatouillait et ça le préoccupait beaucoup.

c'est ennuyeux tu sais d'éternuer !..
Tiens.. mais pourquoi tu es rouge comme ça ?..
Je suis rouge moi ?.. Je vais t'expliquer...

Il s'aperçut que Marcellin rougissait...

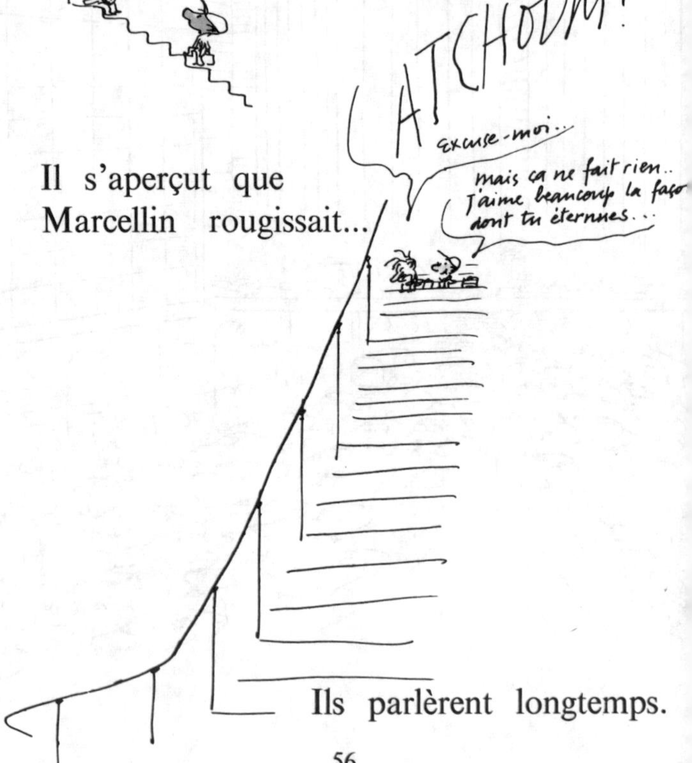
ATCHOUM !
excuse-moi..
mais ça ne fait rien.. J'aime beaucoup la faço dont tu éternues..

Ils parlèrent longtemps.

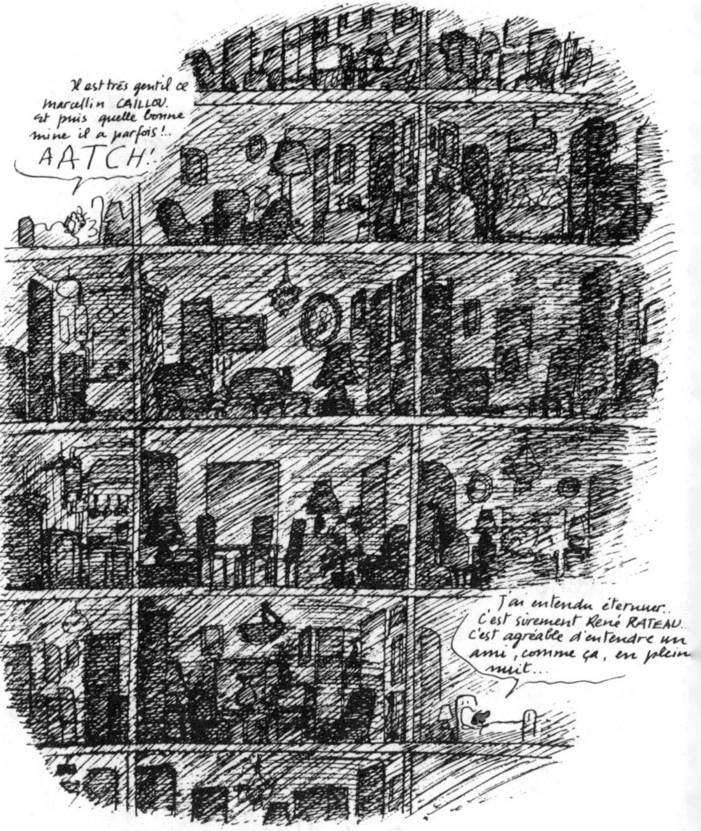
Il est très gentil ce marcellin CAILLOU. et puis quelle bonne mine il a parfois !.. AATCH !
J'ai entendu éternuer.. C'est sûrement René RATEAU.. C'est agréable d'entendre un ami, comme ça, en pleine nuit...

Cette nuit-là, ils ne purent fermer l'œil de la nuit, tellement ils étaient contents de s'être rencontrés...

Ils devinrent inséparables.

Je vais interpréter pour monsieur Marcellin CAILLOU un concerto de ma composition : "Concerto en Rouge"

René jouait du violon pour Marcellin.

ATCHOUM
un peu trop moderne peut-être..

Et Marcellin qui était doué pour le sport prodiguait

l'important c'est de passer bien au-dessus pour ne rien accrocher...

à René des conseils techniques sans lesquels un athlète ne progresse pas et risque de se laisser aller au découragement...

ATCHH!..
Bravo!.. la jambe droite!.. lève la jambe droite!..

Dès que Marcellin arrivait quelque part, il demandait aussitôt où était René.

Vous avez vu René ?
Il arrive..

Vous avez vu Marcellin

De son côté, le petit Rateau n'avait de cesse de retrouver le petit Caillou.

ATCHH!

Il arrive..

Ils faisaient, le jeudi et le dimanche, d'interminables parties de cache-cache.

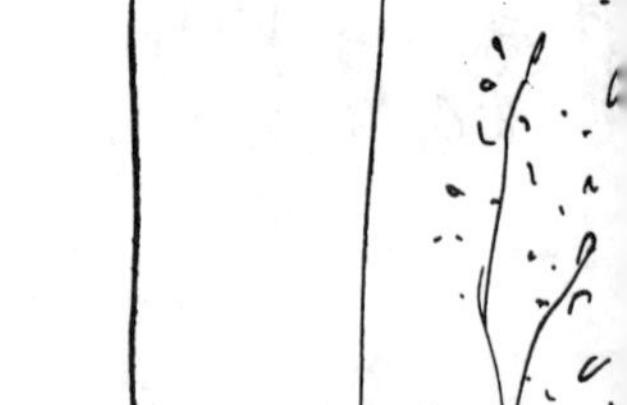

ATCH!
Tu ne me trouveras pas...

AATCHOUM!

Ils passaient, ensemble, d'excellentes journées.

AAAT...
AAAA
TCH
ATCHH!

Lors de la fête de l'école, il n'y eut pas plus heureux que Marcellin lorsque son ami remporta un réel succès d'estime pour l'interprétation d'une délicieuse pièce pour violon.

ATCHOU
qu'est-ce qu'il joue bien !...

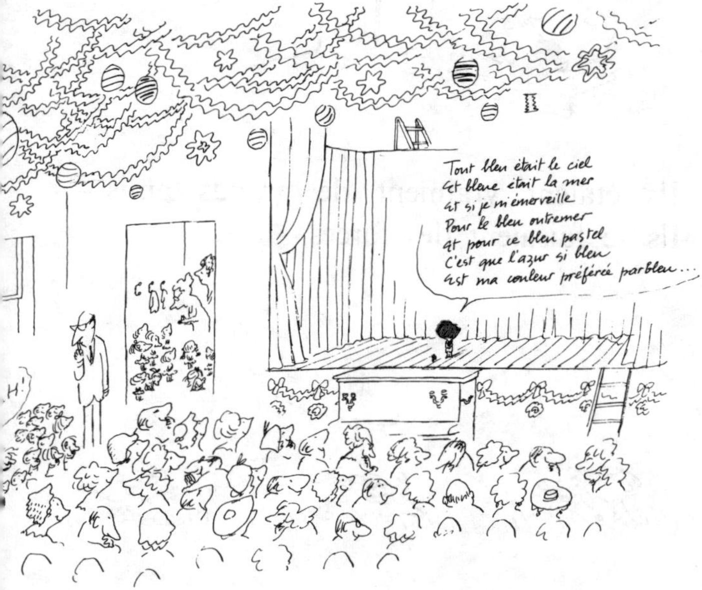
Tout bleu était le ciel
Et bleue était la mer
Et si je m'émerveille
Pour le bleu outremer
Et pour ce bleu pastel
C'est que l'azur si bleu
Est ma couleur préférée parbleu...

Et René crut éclater de joie devant le triomphe récompensant Marcellin qui distilla un poème aux douces harmonies.

Devine qui est là..a..a..AAATCH...
je ne sais pas...

Ils étaient vraiment de grands amis. Ils se faisaient des farces.

ATCHII...

Mais pouvaient aussi rester sans jouer ou sans parler, car ils ne s'ennuyaient jamais ensemble.

C'est une jaunisse..
Surtout qu'il ne s'enrhume pas...
Il n'est jamais enrhumé, docteur..
AATCH..

Je dois être drôle tout jaune...
C'est bizarre....

Quand René eut la jaunisse, Marcellin lui tint compagnie. Il était étonné qu'on puisse être jaune à ce point...

je dois être drôle tout rouge ...
Tout le temps rouge, tu veux dire ...

AATCH...
AATCH..

Quand Marcellin eut la rougeole,
René qui avait déjà eu cette maladie
put voir son ami autant qu'il le voulut.

Tu en as une bonne mine !..
oui. Il faisait très chaud .. AAATCH...

Marcellin était content, quand il était enrhumé, d'éternuer comme son ami.

AATCH

Et René qui attrapa un jour un furieux coup de soleil fut tout heureux d'être aussi rouge que l'était son ami, parfois.

Klaxonnez avant les virages !..
Si vous rentrez tard, allumez les lumières pour qu'on vous aperçoive..
pourvu qu'on les voie sur la route !

C'était vraiment de grands amis.

MAIS *(ces lettres sont un peu noires, car ce qui va suivre est un peu triste)*

Un jour que Marcellin revenait de chez ses grands-parents où il avait passé une semaine de vacances et que son premier soin était de courir chez son ami René,

Je ne l'entends pas éternuer. J'espère qu'il n'est pas malade...

il aperçut de la paille sur le palier

qu'est-ce qu'il fait avec de la paille !..

Bonjour monsieur. René est là ?
quel René ?
René RATEAU, mon ami, celui qui joue du violon..
Heureusement qu'il n'est pas là. Parce que, moi, le violon....

quelqu'un qu'il n'avait jamais vu lui ouvrit la porte.

Il distingua des caisses pleines de vaisselle...
Cette fois-là, il rougit réellement d'émotion !...

La famille Rateau avait dû déménager...

Il redescendit chez lui comme un fou! Il tomba même entre le deuxième et le troisième étage.

RENÉ RATEAU EST PARTI!...
Qu'est-ce que tu as?..
Ah oui! RENÉ...
Il a laissé une lettre pour toi et son adresse...

Et arriva en pleurs.

Mais, vous savez comment sont les parents. Ils ont toujours des tas de choses à faire, ils sont débordés...

On va demander à Papa.. Dis, Henri. Tu sais où on a rangé la lettre du petit RATEAU?..
Oui.. Non.. Attends un peu. Tu vois bien que je suis occupé!..
Vous voyez, bien que je suis occupé.. C'est toujours pareil!.. Moi je veux bien chercher des lettres, je veux bien!. Mais alors venez faire ce que je fais!..
faites-le! Je ne demande pas mieux!
Si tu crois que je m'amuse !

On chercha longtemps la lettre et l'adresse que René avait laissées.

Maman..
t la lettre ?..
Ah oui...
Il faudra que je la recherche cette lettre...

Les jours passèrent

Papa..
Et la lettre ?..
Mais enfin ! Tu vois bien que je suis occupé... la lettre.. la lettre..!
Je te la donnerai quand je l'aurai retrouvée...

Marcellin rencontra d'autres amis

Patrice Lecoq qui savait
siffler entre ses doigts,

Qu'est ce que vous fabriquez?..
Tu vas voir...
Tu vas voir...

les frères Philipard, des jumeaux qui avaient la manie du bricolage, qui construisaient n'importe quoi, et n'importe comment d'ailleurs,

salut matelot...

Rolant Bracot, un drôle celui-là! capable de tout. Rusé comme un renard,

Tu ne sais pas ce qu'elle m'a fait !..
Et lui !.. Et lui !.. Si tu savais ce qu'il m'a fait !

Paul Balafroid et sa sœur Catherine, sans cesse en train de se disputer,

Tu n'as pas à t'inquiéter. Si on t'attaque, on te défend.. Il ne faut pas avoir peur..
C'est vrai ça.. Il ne faut pas avoir peur.. S'ils t'attaquent, nous, on arrive....

Robert et Frédéric Lajaunie, des sportifs, des durs au grand cœur,

Salut Frédéric !..
Mais non!.. Je m'appelle Marcellin !..

sans compter Roger Ribodou, un petit roux à lunettes, toujours distrait.

Fais donc un peu attention RIBODOU !...

Comme je te le disais, j'avais un ami formidable...
Ah oui !.. celui qui jouait de la trompette...

Mais non ! il jouait du violon pas de la trompette !...
Ah oui ! c'est ça : du violon, et puis il crachait partout, oui je me rappelle !..
Qu'est ce que tu racontes ! il éternuait. Tu es fou RIBODOU !..

Marcellin l'aimait bien car il était très drôle à cause de sa distraction.

Et alors un jour, il était en train de jouer du violon et...

Au revoir Augustin !..
Mais où vas-tu RIBODOU ! ce n'est pas chez toi !..

Il était très drôle, parce que quand il jouait du violon et qu'il avait envie d'éternuer, il..

Il n'avait pas oublié René Rateau, il pensait souvent à lui et se promettait d'essayer d'avoir de ses nouvelles.

aïe!
Mais où es-tu RIBODOU ?..

Allez, au revoir Mathurin.. à demain..
Non : pas Mathurin ! Marcellin !..
Marcellin ! D'accord..

Hé.. je voulais te dire : tu sais que tu deviens tout rouge parfois...
Je t'ai déjà expliqué ça 100 fois !.. T'es tout fou RIBODOU !..

Mais, quand on est enfant, les jours passent sans qu'on s'en aperçoive.

Tout fou RiBODOU zin-zin marcellin...
fais attention!..

Les mois aussi...

Et les années aussi...

Marcellin grandit.
Il rougissait toujours. Moins souvent, mais il rougissait toujours un peu. Même quand il devint un Monsieur.

je me suis vu tout à l'heure dans la glace du bureau, j'étais tout rouge.. C'est idiot de rougir comme ça !

1
2
3

On a téléphoné ?
Oui. Il faut que vous rappeliez Mr LACHOUPLI, Mr ROSSIGNOL, Mr Robert PETIT, Mr PETIBROL, Mr BAROU
Madame GOUVION, Mr HANSERMEYER, Mr SAMPAI-RAMIRÈS, Maître PETROUSKI, Mr PARLEFAL-BOURU, Mr SMITH, Mr SAVIGNAC, Mr ALEXGRALL, Mr VROUMBERG, Mr PANANIGUI et Mr JEAN...

Un Monsieur avec des téléphones,

qui prenait des voitures,

des avions,

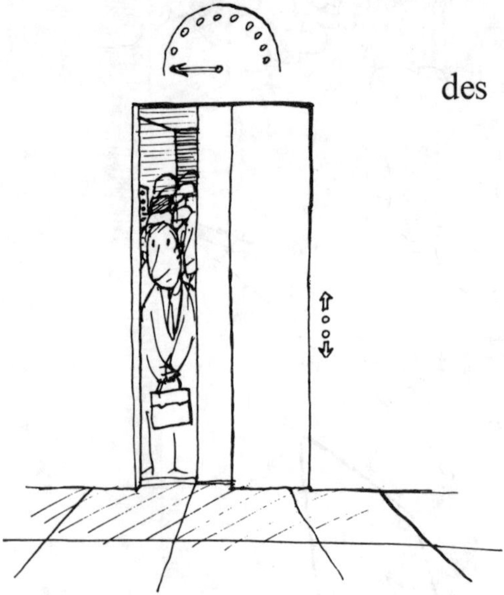

des ascenseurs.

Il habitait une grande ville où tout le monde courait et lui courait comme tout le monde...

AGE
PRIZ
CAFE

Un jour qu'il attendait, sous la pluie, un autobus et qu'il était très énervé car il avait rendez-vous

AATCHOUM !

à 9 h 15 avec M. Larchou,
à 9 h 45 avec M. Pourchaix,
à 10 h 15 avec M. Ripollin,
à 10 h 45 avec M. Bérenisse,
à 11 h 15 avec Mme Brownsmith
et à 11 h 45 avec M. Parssifal,

AATCH !
Il est enrhumé celui-là !

il entendit un pauvre enrhumé éternuer avec tant d'obstination qu'il se mit à rire comme tout le monde.
Il regarda l'enrhumé...

-CH!
Eh bien vous avez un fameux rhume!..
moi? non.. pourquoi?

ET *(inutile que je vous explique pourquoi ces lettres sont roses...)*

CAILLOU
C'ETAIT

RATEAU !
vous descendez ?
RATEAU !!!

J'ai bien essayé, mais il ne m'a pas été possible de vous décrire la joie que ressentirent les deux amis!...

Marcellin!.. Tu n'as pas changé tu sais!..
AATCH!
Toi non plus...

Mon vieux Marcellin !... Dis-donc, tu rougis toujours ?
Un peu... très peu.. Et toi ? tu éternues toujours ?
C'est rare...
ATCH !....
A tes souhaits..

René Rateau était devenu professeur de violon.

Ils se racontèrent des tas d'histoires.

Alors mon vieux, je vais voir le sergent et je lui dis : AATCH !.. je lui dis : "Sergent, ça ne va pas se passer ainsi et ATCH !..
J'aurais fait pareil..

Sur les instances de son ami, René joua du violon.

qu'est-ce que tu as fait comme progrès!..
ATCH!..

Tu sautes toujours aussi bien ?..
regarde...

Marcellin, de son côté, démontra que le temps n'avait point émoussé son tempérament de sportif.

c'est bien!
c'est mon pied droit que je n'ai pas assez enlevé...

Ils firent même une course que Marcellin gagna de peu.

Dis donc!.. Qu'est-ce que tu as fait comme progrès!...
Toi aussi!..

Et se livrèrent à des fantaisies que les gens tristes trouvent curieuses pour des adultes.

Sur un pied maintenant, sur un pied !..

Je n'ai pas beaucoup d'entrai-nement, tu sais...

Ils passèrent une excellente journée et firent des projets.

C'est simple : moi le Samedi, je ne travaille pas. On prend les casse-croûtes, les vélos, et hop !..
Mais oui.. on prend les vélos.. c'est formidable ! le samedi, je ne donne pas de leçons.. Alors on prend les casse-croûtes et hop !.. le dimanche aussi d'ailleurs..
le dimanche aussi, tu as raison...

Si je voulais vous attrister, je vous raconterais que les deux amis, repris par leurs obligations, ne se revirent pas.
En fait c'est ce qui se passe la plupart du temps. On retrouve un ami. On est fou de joie, on fait des projets. Et puis on ne se revoit pas. Parce qu'on n'a pas le temps, qu'on a trop de travail, qu'on habite trop loin l'un de l'autre. Pour mille autres raisons...
Mais Marcellin et René se revirent.

Ils se revirent très souvent même.

Attendez, ne quittez pas.. Qu'est-ce que c'est Mademoiselle?.. Vous voyez bien que je suis occupé !..
mais Monsieur, c'est le monsieur qui éternue.. Vous m'avez dit que lorsque ce monsieur téléphone je dois vous le passer tout de suite..
ATCH!

Excusez-moi je suis en retard... Monsieur RATEAU est là ?...
Il est dans la pièce du fond. Je crois que je l'entends...

Quand Marcellin arrivait quelque part, il demandait aussitôt si René était là...

De son côté, René Rateau n'avait de cesse de retrouver Marcellin Caillou.

Marcellin est là ?

ATCH!...
Il arrive..
le voilà sûrement..

Ils faisaient le samedi ou le dimanche d'interminables (et inoffensives) parties de chasse.

AATCH!...

Pas un mot ! Ne vous retour-
nez pas. Vous ne devez
absolument pas savoir qui
je suis...
C'est le Hold-up du Siècle !..
AATCH !...
le CERVEAU !..
le CERVEAU enrhu-
mé d'ailleurs.. Je
suis perdu !...
3

Ils se faisaient des farces.

ATCH!...

Mais ils pouvaient aussi rester à ne rien faire, à parler ou sans rien dire car ils

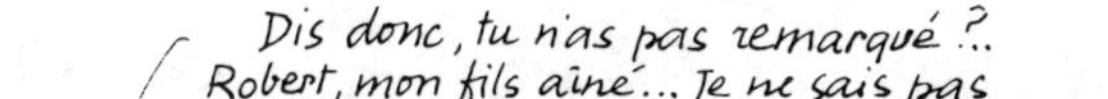
Dis donc, tu n'as pas remarqué ?.. Robert, mon fils aîné... Je ne sais pas ce qu'il a, mais il lui arrive d'éternuer comme ça, sans raison.. assez souvent même... c'est bizarre...
Oui c'est bizarre... Je me demande d'où cela peut-il venir ?.. C'est comme Michel.. de temps en temps il devient rouge... mais rouge !... C'est curieux...

ne s'ennuyaient jamais ensemble.

ça leur passera.
oui, ça leur passera...
CAATCH...

FOLIO JUNIOR EDITION SPECIALE

Sempé

Marcellin Caillou

Supplément réalisé par
Christian Biet, Dominique Boutel,
Jean-Paul Brighelli, Nadia Jarry,
Anne Panzani et Jean-Luc Rispail

AATCH

SOMMAIRE

ÊTES-VOUS BIEN DANS VOTRE PEAU ?

ÊTES-VOUS BIEN DANS VOTRE PEAU ?

Choisissez pour chaque question la réponse que vous préférez. Puis comptez le nombre de ○, de □ et de △. Reportez-vous ensuite à la page des réponses pour découvrir les résultats du test.

1. *Imaginez que vous êtes très grand ; vous pensez :*
A. C'est très bien pour jouer au basket, mais beaucoup moins bien pour faire de la bicyclette ●
B. C'est pratique pour atteindre les chocolats tout en haut de l'armoire △
C. Que les portes sont basses ! □

Qu'est ce que tu es rouge Marcellin !

2. *Imaginez à présent que vous êtes très maigre ; vous pensez :*
A. J'ai le poids idéal pour me faufiler partout ▲
B. Mieux vaut être maigre que trop gros ○
C. Je suis bien ridicule ; sans mes bretelles, mon pantalon tombe □

3. *Lors d'une fête, vous ne connaissez personne :*
A. Vous cherchez une excuse pour partir □
B. Les premiers moments sont un peu difficiles puis vous vous intégrez au groupe ●
C. Aucune importance, vous liez facilement connaissance △

4. *Le professeur se prépare à interroger un élève :*
A. Vous levez la main en espérant qu'il vous choisisse ▲
B. Vous vous faites le plus discret possible □
C. Vous attendez avec une légère anxiété ○

moi ?..

5. *Des amis vous invitent à venir faire du patin à glace :*
A. Vous restez prudemment au bord de la piste ○
B. Vous acceptez avec joie ; tant pis si vous tombez ▲
C. Vous les accompagnez sans oser chausser les patins □

6. *Dans un magasin, une vendeuse vous propose un vêtement original :*
A. Vous l'achetez, ravi de ne pas passer inaperçu ▲
B. Vous refusez, on se moquerait de vous □
C. Vous le prenez, vous le mettrez à l'occasion d'un bal masqué ○

7. *Un concours de danse est organisé :*
A. Sans hésiter, vous vous lancez sur la piste ▲
B. Vous apprenez quelques pas pour ne pas vous rendre ridicule ○
C. Vous ne pouvez pas danser : vos pieds seraient en feu □

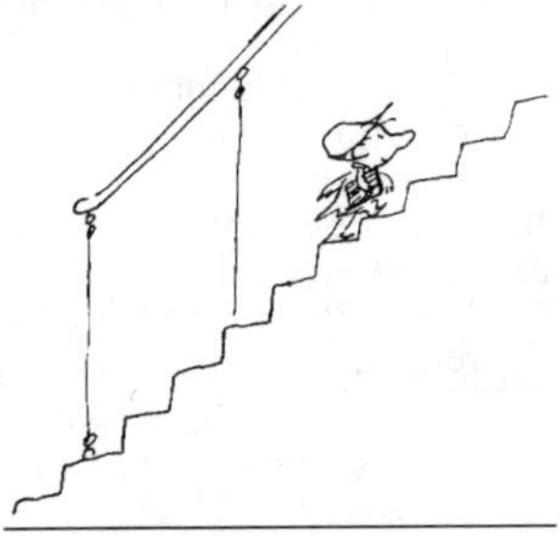

8. *Votre nouveau voisin a le même âge que vous. Comment allez-vous faire sa connaissance ?*
A. Vous l'invitez immédiatement à jouer avec vous △
B. Vous cherchez à croiser son chemin à plusieurs reprises avant de lui parler ●
C. C'est lui qui fait le premier pas □

9. *Vos parents reçoivent des amis pour dîner :*
A. Vous leur lisez spontanément votre dernier poème △
B. Vous répondez poliment lorsqu'ils vous parlent ●
C. Vous bafouillez et vous rougissez □

10. *Pour participer à un jeu, des équipes sont constituées :*
A. Si on a besoin de vous, vous irez ●
B. Vous vous portez volontaire △
C. Ouf ! il fallait douze joueurs et vous étiez le treizième □

11. *Perdu dans la campagne, vous voulez demander votre chemin dans une ferme, mais un gros chien menaçant en garde l'entrée :*
A. Vous avancez sans crainte vers l'animal, persuadé que « chien qui aboie ne mord pas » △
B. Vous recherchez une autre entrée ●
C. Vous jugez plus prudent de passer votre chemin □

12. *Dans l'autobus bondé, un malotru ne cesse de vous écraser les pieds :*
A. Vous lui faites vertement remarquer que vous n'êtes pas un paillasson △
B. Vous changez de place sans faire d'esclandre ●
C. Vous supportez la douleur évitant de dire un mot de peur de vous faire remarquer □

Solutions page 156

1
AU FIL DU TEXTE

PREMIÈRE PARTIE (p. 5 - 37)

Dix questions pour commencer

Avez-vous bien lu tout ce qui précède la rencontre de Marcellin Caillou et de René Rateau ? Voici dix questions qui vont mettre votre mémoire à l'épreuve. Essayez d'y répondre sans ouvrir le livre puis reportez-vous à la page des solutions pour connaître vos résultats.

1. *Marcellin rougit :*
A. Lorsqu'il a honte
B. Lorsqu'il est intimidé
C. Sans raison apparente

2. *Il devient tout rouge :*
A. A des heures précises
B. Au moment où il s'y attend le moins
C. Le soir avant de se coucher

3. *Lorsqu'il fait une bêtise, Marcellin :*
A. Ne rougit pas
B. Devient tout rouge
C. Se met à pleurer

4. *La vie de Marcellin était :*
A. Compliquée
B. Triste
C. Drôle

5. *Marcellin devient solitaire :*
A. Car ses camarades ne l'aiment pas
B. Car ses parents l'empêchent de jouer avec les autres
C. Car il supporte mal les remarques sur son teint

6. *Marcellin vit :*
A. Dans une grande ville
B. Dans un village
C. Dans une région montagneuse

7. *Pour se guérir de sa maladie, Marcellin consulte :*
A. Une fée
B. Un médecin
C. Un bon génie

8. *Il aime les vacances au bord de la mer :*
A. Parce qu'il adore se faire bronzer
B. Parce qu'il nage comme un poisson
C. Parce qu'il est comme tout le monde

9. *En hiver :*
A. Il devient facilement bleu de froid
B. Il conserve une coloration rouge
C. Il est blanc comme neige

10. *Sa curieuse maladie :*
A. L'empêche de dormir
B. Le rend malheureux
C. Le rend très heureux

Solutions page 156

Un peu d'ordre

Observez bien les dessins des pages 34 et 35 et remettez en ordre les bulles qui correspondent à l'histoire.

A
Je pense avoir perdu ma légère coloration. Regardons-nous dans une glace.

B
Avec ma casquette enfoncée jusqu'aux oreilles je passerai peut-être inaperçu.

C
Pas de panique. Asseyons-nous sur un banc et réfléchissons.

D
Je crois que j'ai perdu mon pari...

E
Quel bonheur ! Je n'ai plus un visage couleur pourpre. Repartons en chantant.

F
Que se passe-t-il ? Voici un deuxième miroir qui me renvoie une image bien colorée.

G
Je ne trouve pas de solution. Mais ça va mieux. Allons, debout. Je repars !

H
Tout va bien aujourd'hui, je parie que je ne vais pas rougir.

Solutions page 157

C'est tout le contraire

Découvrez d'abord le mot qui se cache derrière les définitions suivantes puis cherchez leur contraire que vous inscrirez alors dans la grille.

1. Il devenait tout blanc
2. Marcellin aimerait bien en avoir sur son étrange maladie
3. Ce n'est pas dans une de ces villes que Marcellin travaille
4. La meilleure note que l'on puisse avoir en classe, si l'on n'a pas copié
5. Marcellin le serait s'il avait beaucoup d'amis
6. On comprend pourquoi la vie de Marcellin ne l'était pas
7. En cette saison, tout le monde est rouge et content de l'être
8. Ce n'est pas ainsi que Marcellin supportait les remarques sur son teint
9. Longtemps après s'être couché, Marcellin ne l'était toujours pas
10. Si Marcellin ne rougissait pas, son cas le serait pour les médecins

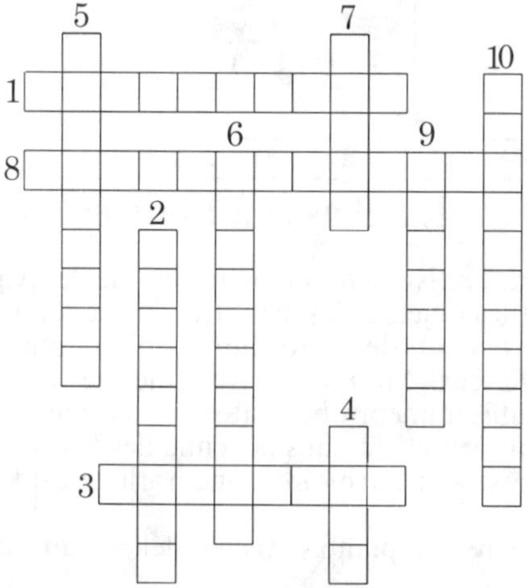
5
7
10
1
6
9
8
2
4
3

Solutions page 157

Tout en couleur

Voici quelques expressions bien colorées. Sauriez-vous rendre à chacune sa propre définition ?

1. Il a pris de belles couleurs	A. J'ai subi de nombreux affronts
2. Il a habillé son mensonge de belles couleurs	B. Je dois lui dire la vérité
3. J'en ai vu de toutes les couleurs	C. Il est devenu tour à tour pâle comme un linge puis très rouge
4. Je l'ai vu changer de couleur	D. Quelqu'un de truculent, qui ne passe pas inaperçu
5. Un personnage haut en couleur	E. Son histoire était fausse mais joliment racontée. Elle semblait vraie
6. Il faut que je lui annonce la couleur	F. Il est revenu de vacances avec une superbe mine

Solutions page 157

La chasse à l'intrus

Observez attentivement l'illustration de la page 11, en particulier les objets et les meubles – ou ce qu'il en reste – de l'appartement de Marcellin Caillou, puis ceux de l'étage inférieur. Maintenant refermez le livre. Si vous avez été suffisamment observateur vous saurez retrouver l'intrus qui s'est glissé dans chacune des listes suivantes.

1. une chaise - une armoire - une horloge - une échelle - un miroir.

2. une théière - un piano - un chandelier - un canapé - un disque.

Solutions page 157

Comment serait votre ami idéal ?

Imaginez que vous puissiez trouver un ami sur mesure, exactement conforme à vos goûts, avec qui vous ne vous disputeriez jamais. Choisissez pour chaque question la réponse qui vous correspond le mieux et vous dresserez ainsi le portrait idéal de cet ami. Comptez ensuite le nombre de ○, de △, de □ obtenus et rendez-vous à la page des solutions pour y déceler une partie de votre caractère.

1. *Où le rencontreriez-vous ?*
A. A l'école ○
B. Chez des amis de vos parents △
C. A l'étranger, au cours d'un voyage □

2. *Quelle serait la couleur de ses cheveux ?*
A. Blonds ou bruns △
B. Roux □
C. Aucune importance ○

3. *Quel métier feraient ses parents ?*
A. Un métier que je ne connais pas et que je pourrais découvrir □
B. Un métier proche de celui de mes parents △
C. C'est leur problème ○

4. *Quel serait son passe-temps favori ?*
A. La télévision △
B. Le sport ○
C. La culture des vers à soie □

5. *Quel serait votre jeu préféré ?*
A. Les échecs □
B. Le Monopoly ○
C. Les jeux électroniques △

6. *Vous aimeriez :*
A. Le voir dès que vous en avez envie △
B. Qu'il habite chez vous □
C. Partir en vacances avec lui ○

7. *Son seul défaut serait d'être :*
A. Mauvais joueur △
B. Obstiné □
C. Menteur ○

8. *Sa plus grande qualité serait d'être :*
A. Généreux ○
B. Volontaire △
C. Fidèle □

9. *Comment serait-il physiquement ?*
A. Plutôt beau △
B. Normal ○
C. Plein de charme □

10. *Vous partageriez avec lui :*
A. Vos secrets □
B. Vos jeux ○
C. Votre argent △

Solutions page 157

DEUXIÈME PARTIE (p. 38 - 91)

Dix questions pour mieux comprendre

Répondez à chacune des questions suivantes sans revenir au texte. Lorsque vous aurez terminé, rendez-vous à la page des solutions pour vérifier que votre mémoire n'a pas défailli.

1. *Comment René Rateau ressent-il sa « curieuse maladie » ?*
A. Elle le rend très malheureux
B. Elle le préoccupe
C. Elle ne le dérange pas

2. *René est-il enrhumé ?*
A. Parfois
B. Jamais
C. Toujours

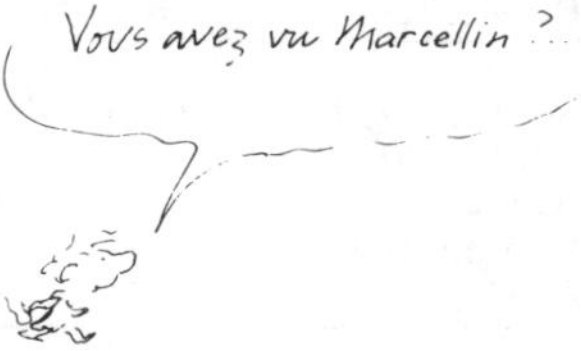
Vous avez vu Marcellin ?

3. *Pourquoi les deux enfants pouvaient-ils rester sans jouer et parler ?*
A. Parce qu'ils étaient timides et peu sportifs
B. Parce qu'ils n'avaient rien à se dire
C. Parce qu'ils ne s'ennuyaient jamais ensemble

4. *Marcellin oublie-t-il René ?*
A. Oui, car il ne le revoit pas
B. Non, mais il pense souvent à lui
C. Oui, car il a d'autres amis

5. *Où va René lorsqu'il est malheureux ?*
A. Il va travailler son violon
B. Il va faire des promenades tout seul
C. Il va dans sa chambre

6. *En revenant de vacances, Marcellin n'entend plus éternuer son ami. Il pense :*
A. René a dû partir
B. J'espère qu'il est guéri
C. J'espère qu'il n'est pas malade

7. *Après le départ de René, Marcellin :*
A. Retrouve un meilleur ami
B. Se fait d'autres copains
C. Reste solitaire

Vous avez vu René ?

8. *Depuis quand René éternue-t-il ?*
A. Depuis son plus jeune âge
B. Lorsqu'il est enrhumé
C. Depuis quelque temps

9. *Quelle est la réaction de Marcellin lorsqu'il découvre de la paille sous la porte de son ami ?*
A. Il pense tout de suite que son ami a dû déménager
B. Il ne comprend pas
C. Il pense qu'il s'est trompé d'étage

10. *Les parents de Marcellin ont-ils reçu une lettre de René ?*
A. Oui, mais ils ne veulent pas la lui donner
B. Oui, mais ils l'ont perdue
C. Non, ils disent cela pour faire moins de peine à Marcellin

Solutions page 158

Jeu de rimes

« René Rateau ne trouva de consolation que dans des promenades solitaires au bord de la rivière dont le calme des eaux, le doux chant des oiseaux consolent bien des maux. »
Avez-vous remarqué les rimes dans la phrase ?
Solitaire rime avec ...
Eaux rime avec ... et ...
Pourquoi, à votre avis, Sempé a-t-il choisi de faire rimer les mots dans cette partie de l'histoire ?
Dans un de ses poèmes, Maurice Carême s'amuse à faire rimer les vers avec le mot « comique ». Pouvez-vous trouver les rimes qu'a choisies Maurice Carême ?

CE QUI EST COMIQUE

Savez-vous ce qui est comique ?
Une oie qui joue de la ...
Un pou qui parle du ...
Un bœuf retournant l'as de ...
Un clown qui n'est pas dans un ...
Un âne chantant un ...
Un loir champion ...
Mais ce qui est le plus comique...
C'est d'entendre un petit ...
Répéter son ...

Solutions page 158

Le courrier des copains

Pendant les vacances, Marcellin a reçu des lettres de ses copains mais leur signature est illisible. A vous de retrouver qui a écrit chaque lettre.

le 1er avril

Salut !

Je passe de super vacances en colo. Les moniteurs sont chouettes mais ils ont l'air un peu fatigué. C'est vrai qu'avec un lit en portefeuille tous les soirs et des grenouilles dans le lavabo, c'est dur !

A bientôt.

Salut matelot...

Bonjour !

Je t'écris allongé sur ma serviette. J'ai réussi à me débarrasser cinq minutes de ma sœur en l'enterrant sous dix centimètres de sable. Je te laisse car elle commence à émerger.

Cher Marcellin,

Nous pensons bien à toi. Nous passons de bonnes vacances et le stage est formidable. N'oublie pas de continuer à t'entraîner pour le saut.

Marseille, le 25 décembre

Salut Augustin !

Quelles vacances ! La haute montagne c'est formidable. Il fait beau et chaud.

A demain.

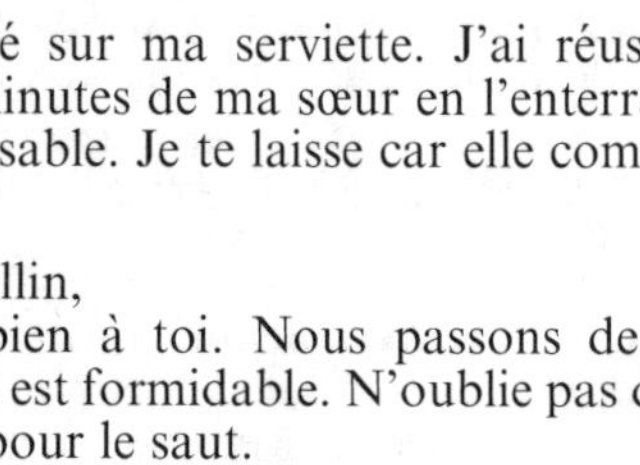
Tu ne sais pas ce qu'elle m'a fait !..

Solutions page 159

Les mots font du bruit

Atchoum ! Cela évoque un éternuement bien sûr ! Mais les verbes qui suivent, qu'évoquent-ils pour vous ?

Pleurer
Craquer
Sonner
Crisser
Grignoter
Miauler
Applaudir
Éclater

ATCHII...

Le son de certains de ces verbes imite de façon plus ou moins juste le bruit qu'il suggère. Ce sont des onomatopées. A vous de les retrouver dans la liste.

Savez-vous que les onomatopées varient d'une langue à l'autre ? Ainsi le cri des animaux : le canard fait *couin-couin* en français, *quack* en anglais, *rap rap* en danois, *gack gack* en allemand, *mac mac* en roumain, *qua qua* en italien, *kriak* en russe et *mech mech* en catalan.

Solutions page 159

Vrai ou faux ?

Après avoir bien observé le dessin qui illustre la soirée de madame Veuvarchy (pp. 48-49), refermez votre livre. A présent, les affirmations suivantes sont-elles vraies ou fausses ? A vous de répondre !

	VRAI	FAUX
Un chef d'orchestre dirige huit musiciens dont quatre violonistes, une harpiste, deux violoncellistes et un contrebassiste.	☐	☐
L'assistance est en général séduite par la musique.	☐	☐
La majorité des musiciens portent des lunettes.	☐	☐
Les plateaux de petits fours sont encore pleins.	☐	☐
L'éternuement de René risque de réveiller du monde !	☐	☐

Solutions page 159

Dans l'orchestre

Découvrez, en vous aidant des définitions, le nom de onze instruments de musique. Une fois que vous aurez rempli complètement la grille, apparaîtra alors un douzième instrument.

1. C'est l'instrument de René
2. Il peut être à queue ou droit
3. Se dit aussi d'un nez
4. Celle de Pan est particulière
5. Instrument de percussion d'Extrême-Orient
6. C'est aussi une figure de géométrie
7. Utilisé dans la chasse à courre
8. Le plus grave des instrument à archet
9. Entre le violon et le violoncelle
10. Elles sont deux, en cuivre ou en bronze
11. Le plus grand des instruments à cordes pincées

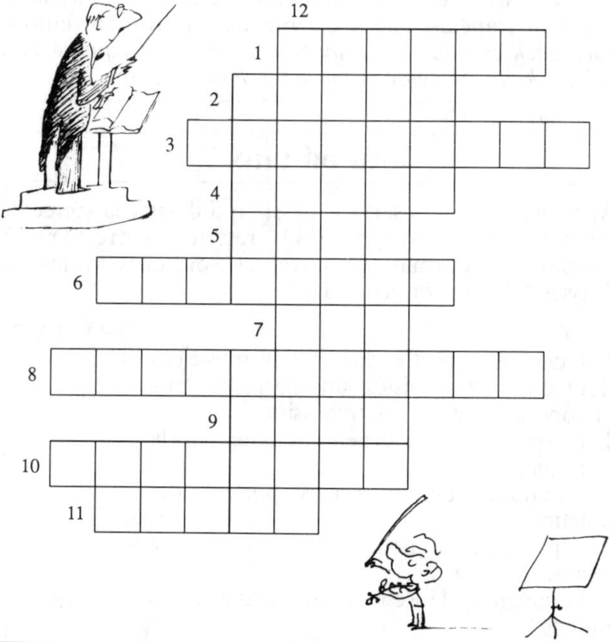
12
1
2
3
4
5
6
7
8
9
10
11

Solutions page 159

Quel adulte feriez-vous ?

Pour le savoir, répondez à chacune des questions de ce test. Comptez ensuite le nombre de △, de ○ et de □ que vous avez obtenus. Les résultats vous dévoileront peut-être un pan de votre personnalité future.

1. *Un adulte se souvient de son enfance :*
A. Avec nostalgie △
B. Avec dédain ○
C. En souriant □

2. *La vie d'un adulte vous semble :*
A. Drôle ○
B. Difficile △
C. Variée □

3. *On est adulte :*
A. Quand on a des enfants △
B. Quand on travaille ○
C. Quand on le sent □

4. *La vie est pleine de :*
A. Rencontres □
B. Soucis ○
C. Affection △

5. *Quand vous serez adulte, vous verrez la vie :*
A. Complètement différemment ○
B. De la même façon, mais en plus grand □
C. Exactement pareil △

6. *Adulte :*
A. Vous aurez de nouveaux amis ○
B. Vos amis seront les mêmes △
C. On ne sait pas ce que la vie nous réserve □

7. *Qu'est-ce qui est le plus ridicule ?*
A. Un adulte qui marche sur les mains ○
B. Un adulte qui se met en colère △
C. Un adulte dont les chaussettes sont dépareillées □

8. *Grandir, c'est :*
A. Bien ○
B. Triste △
C. Normal □

9. *Les avantages de la vie adulte ?*
A. Gagner de l'argent ○
B. Être son propre maître □
C. Pouvoir voir ses amis quand on veut △

10. *Si demain une fée vous proposait de devenir adulte :*
A. Vous hésiteriez □
B. Vous accepteriez avec joie ○
C. Vous refuseriez catégoriquement △

Solutions page 159

TROISIÈME PARTIE (p. 92 - 127)

Dix questions pour conclure

Avez-vous bien lu la fin du livre ? Pour le savoir, répondez aux dix questions suivantes sans regarder le livre et, seulement après, allez vite vérifier vos réponses à la page des solutions.

1. Devenu un monsieur, Marcellin accepte-t-il davantage son défaut ?

2. Qu'est-ce qui fait de Marcellin un « Monsieur » ?

3. Est-ce à ses éternuements que Marcellin reconnaît René ?

4. Sur quoi la joie des deux amis produit-elle un effet visible ? (Pour vous aider, il faut surtout regarder les images...)

5. Dans le parc, René raconte à son ami une période de sa vie. Laquelle ?

6. En quoi leur amitié d'adultes est-elle exceptionnelle ?

7. Pourquoi pensez-vous que leurs parties de chasse sont inoffensives ?

8. Comment s'appelle le fils de Marcellin ?

9. Quelle est la caractéristique de l'amitié de Marcellin et de René ?

10. Qu'y a-t-il de remarquable chez leurs enfants ?

Solutions page 160

Méli-mélo dans les bureaux !

Ce monsieur très sérieux est bien troublé. Dix anomalies en effet se cachent dans cette illustration et la rendent différente de celle des pages 92 et 93.

Solutions page 160

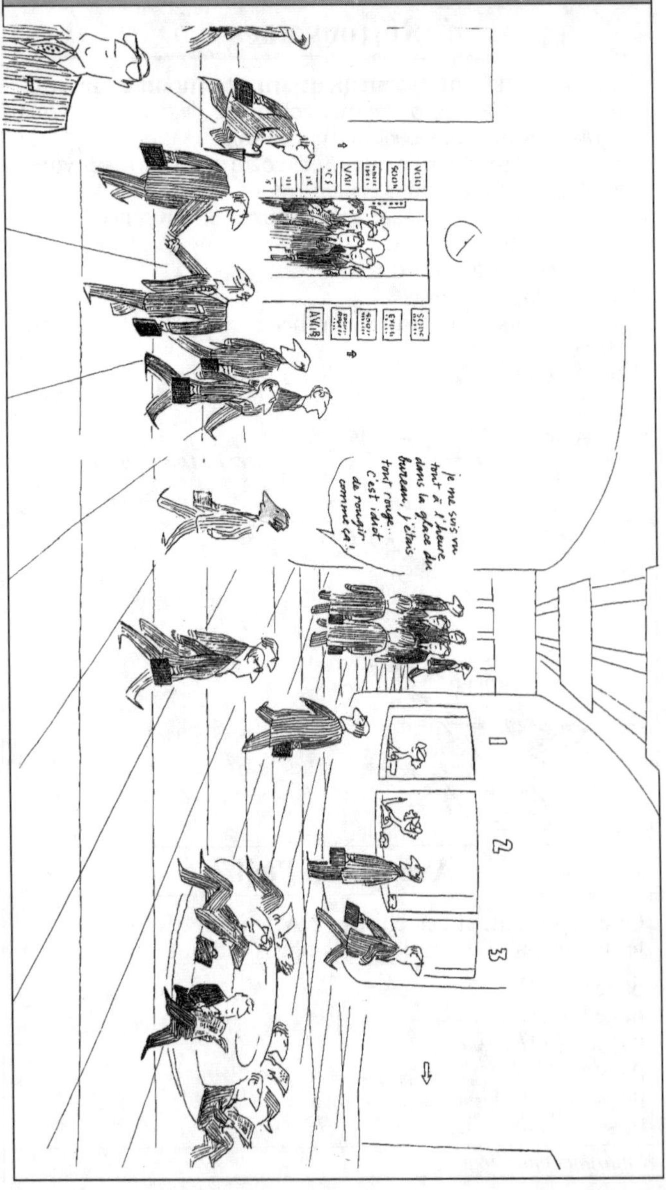
je me suis vu tout à l'heure dans la glace du bureau, j'étais tout rouge… C'est idiot de rougir comme ça !
1
2
3

Retrouvailles

Vous avez un ami, le meilleur ami du monde. On vous voit partout ensemble, vous échangez des secrets, vous partagez tout, vous êtes inséparables !
Mais voilà, tout arrive : un jour, votre ami s'en va et votre belle amitié prend fin.
Vingt ans après, le hasard vous remet en présence !
Où vous retrouvez-vous ?
Qu'avez-vous à vous dire ?
Qu'êtes-vous devenus ?
Arrivez-vous à retrouver la belle complicité de votre enfance ?
Mettez-vous en scène, ou créez un dialogue.

Marcellin !... Tu n'as pas changé tu sais !...
AATCH !
Toi non plus...

Avez-vous l'œil ?

Que représentent ces chiffres ? Attention ! Ils se rapportent tous aux illustrations des pages indiquées.

pages 92-93 : 17
page 94 : 16
pages 96-97 : 707
page 98 : 9
pages 114-115 : 6
page 119 : 5

Solutions page 161

Charades

1. Voici deux charades dont le mot de la fin est, pour chacune, issu du texte.

Mon premier est unique
Mon deuxième est un abri pour les bateaux
Mon troisième est une herbe de Provence
Mon tout se dit de quelque chose de fâcheux qui survient quand on ne l'attend pas (un éternuement par exemple).

On lance mon premier
Mon deuxième est le mois du muguet
Sans mon troisième vous pouvez couler
Mon quatrième ne dit pas la vérité
Mon tout a rendu Marcellin très malheureux.

2. A vous de débusquer les mots cachés derrière ces définitions. Vos trophées vous permettront de résoudre la charade.

Mon premier est une voyelle.
Mon deuxième est une forme de théâtre japonais.
Mon troisième est le petit de la biche.
Mon quatrième émet une réserve.
Mon cinquième est un souhait.
Mon tout qualifie les parties de chasse de Marcellin et de René.

Solutions page 161

Pour être un monsieur

Voici une grille que vous devez compléter avec huit mots qui ont une grande importance dans la vie de Marcellin depuis qu'il est devenu un « monsieur ». A vous de jouer et, attention, un peu de sérieux !

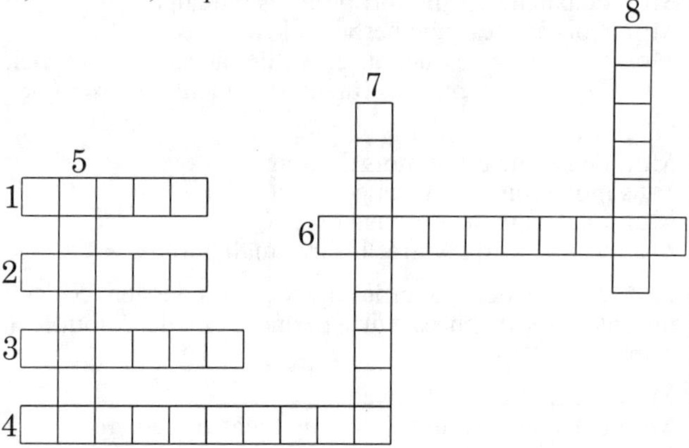
8
7
5
1
6
2
3
4

1. Un « monsieur » le prend souvent pour se déplacer vite et loin.
2. Tout le monde y court.
3. Un « monsieur » s'y rend tous les matins.
4. Ne passe à Marcellin que les communications qui éternuent.
5. Est souvent une cause d'embouteillage pour un « monsieur ».
6. Ont parfois lieu toutes les demi-heures.
7. Certains matins, ils sont seize à l'avoir utilisé.
8. Qui aurait pu penser que Marcellin y ferait une rencontre !

Solutions page 161

Un de perdu, huit de retrouvés !

Dans cette grille se dissimulent huit mots qui expriment ce que Marcellin et René sont l'un pour l'autre. Saurez-vous les découvrir ?

C	O	M	P	A	G	N	O	N
A	C	B	I	V	O	C	A	R
M	O	A	C	O	P	A	I	N
A	N	L	T	V	A	L	E	U
R	F	A	M	I	L	I	E	R
A	I	A	B	N	L	L	F	I
D	D	A	D	T	R	O	R	E
E	E	M	N	I	E	R	E	M
X	N	I	Q	M	A	M	R	T
O	T	R	S	E	S	S	E	S

Solutions page 161

N'est pas monsieur qui veut

1. René est-il devenu un « monsieur » ? Pourquoi ?
Relevez tous les détails du texte et des illustrations qui prouvent que Marcellin appartient au monde des « messieurs ».
En quoi est-il pourtant différent ?

2. Si vous deviez, vous aussi, illustrer ou raconter la vie d'un « monsieur », quels détails imagineriez-vous ?
sur sa vie professionnelle – sur sa vie familiale – sur ses pensées – sur ses vacances.
Pourquoi ne pas faire une enquête auprès des amis de vos parents qui sont des « messieurs » ?

2
DES AMIS DANS LA LITTÉRATURE

Les deux amis

Comment reconnaît-on deux vrais amis ? La Fontaine répond à cette question en nous racontant une histoire.

Deux vrais amis vivaient au Monomotapa :
L'un ne possédait rien qui n'appartînt à l'autre :
Les amis de ce pays-là
Valent bien dit-on ceux du nôtre.
Une nuit que chacun s'occupait au sommeil,
Et mettait à profit l'absence du Soleil,
Un de nos deux Amis sort du lit en alarme :
Il court chez son intime, éveille les valets :
Morphée avait touché le seuil de ce palais.
L'Ami couché s'étonne, il prend sa bourse, il s'arme ;
Vient trouver l'autre, et dit : Il vous arrive peu
De courir quand on dort ; vous me paraissiez homme
A mieux user du temps destiné pour le somme :
N'auriez-vous point perdu tout votre argent au jeu ?
En voici. S'il vous est venu quelque querelle,
J'ai mon épée, allons. Vous ennuyez-vous point
De coucher toujours seul ? Une esclave assez belle
Était à mes côtés : voulez-vous qu'on l'appelle ?
– Non, dit l'ami, ce n'est ni l'un ni l'autre point :
Je vous rends grâce de ce zèle.
Vous m'êtes en dormant un peu triste apparu ;
J'ai craint qu'il ne fût vrai, je suis vite accouru.
Ce maudit songe en est la cause.
Qui d'eux aimait le mieux, que t'en semble, Lecteur ?
Cette difficulté vaut bien qu'on la propose.
Qu'un ami véritable est une douce chose.
Il cherche vos besoins au fond de votre cœur ;
Il vous épargne la pudeur
De les lui découvrir vous-même.
Un songe, un rien, tout lui fait peur
Quand il s'agit de ce qu'il aime.

Jean de La Fontaine,
Fables

Une difficile amitié

Veronica et Peter sont toujours ensemble. En patins à roulettes, ils explorent le monde de leur ville. Mais même les amitiés les plus fortes ont parfois des défaillances. Heureusement, l'absence d'un ami permet parfois de comprendre combien on tient à lui.

« Peter poussa un soupir interminable. L'été n'en finissait plus, et il était las de faire jour après jour les mêmes choses. Si Veronica avait été ici, peut-être serait-il retourné chez elle avec Stanley, pour essayer de rattraper la situation. Il lui aurait dit : "Oublions ce qui s'est passé. Tu es comme tu es, un point c'est tout. J'ai peut-être eu tort de le prendre de si haut, oublions tout maintenant. Tu vas chercher tes patins ?..."

Mais Veronica était loin d'ici. C'était vraiment trop bête. Il se sentait tout à coup déborder d'indulgence et de générosité. Pauvre Veronica trop grande et maladroite ! Que les autres se moquent d'elle, si ça leur chantait, et même de lui, grand bien leur fasse ! Lui n'aurait plus aucune rancœur. Et il le lui dirait sitôt qu'elle serait de retour...

Que c'était bon de se sentir débarrassé de toute rancune et de réserver sa colère à de plus justes causes ! Brave vieux Marv. Avare de paroles, mais sage à sa manière. La leçon qu'il venait d'enseigner à Peter avait tout été contenue dans son regard : oui, il faut prendre ses amis comme ils sont, méditait Peter non sans quelque délectation à savourer sa nouvelle sagesse. D'autant plus que (qui sait ?) il avait là peut-être une sorte de mission. Peut-être l'aiderait-il à se sentir moins mal à l'aise au milieu des autres ? Peut-être pourrait-il l'entraîner, progressivement, parmi eux, peut-être aussi lui suggérer quelques petites améliorations à apporter à sa personne ? Oh, sûrement, il pouvait faire beaucoup pour elle, et il le ferait. N'est-ce pas justement, après tout, à quoi doivent servir les amis ?

Le programme était réconfortant, et Peter, d'avance, s'en sentait devenir meilleur. De bons souvenirs, du coup, lui revenaient en mémoire. Elle avait ses bons côtés, elle aussi, après tout... Et Peter, tout à coup, crut sentir le vent de la vitesse à ses oreilles et les cahots du sol sous ses patins.

C'était décidé. Il se réconcilierait avec elle dès le jour de la rentrée. Son seul regret pour le moment était qu'elle ne fût pas déjà là. Il lui tardait si fort de voir la tête qu'elle allait faire, quand il lui dirait qu'il n'était plus en colère... »

Marilyn Sachs,
Une difficile amitié,

C'était un bon copain

L'amitié peut s'exprimer en vers, copain rime avec refrain. Défauts ou qualités ne gênent en rien l'amitié. Robert Desnos nous le prouve.

Il avait le cœur sur la main
et la cervelle dans la lune
C'était un bon copain
Il avait l'estomac dans les talons
Et les yeux dans nos yeux
C'était un triste copain
Il avait la tête à l'envers
Et le feu là où vous pensez
Mais non quoi il avait le feu au derrière
C'était un drôle de copain
Quand il prenait ses jambes à son cou
Il mettait son nez partout
C'était un charmant copain
Il avait une dent contre Etienne
A la tienne Étienne à la tienne mon vieux
C'était un amour de copain
Il n'avait pas sa langue dans sa poche
Ni la main dans la poche du voisin
Il ne pleurait jamais dans mon gilet
C'était un copain
C'était un bon copain

Robert Desnos,
Corps et biens,

Mon ami Frédéric

En Allemagne, pendant la guerre. L'ami du narrateur est juif. En butte aux insultes, à la suspicion, Frédéric subit de plus en plus les effets de cette discrimination. Mais si l'auteur ne comprend pas tout ce qui arrive à son ami, il saura se dresser contre l'injustice, au nom de l'amitié.

« La commerçante sembla interloquée ; son mari, lui, balayait calmement les débris de verre dans la rue, et il retirait de la devanture les bobines, petites et grosses, les cartes de fil blanc ou noir, en forme d'étoile, les écheveaux multicolores de coton à broder ; il les porta à l'intérieur de la boutique.

Les yeux de la mercière se rétrécirent soudain. Son visage était livide.

– De quoi te mêles-tu ? Que viens-tu faire ici ? Déguerpis. Tu te figures peut-être que tu dois prendre ce sale Juif sous ta protection parce que vous habitez dans la même maison ? Disparais !

Elle était blême de rage.

– Mais c'est moi qui ai envoyé la balle contre votre vitrine, c'est pas lui !

La mercière me menaça du poing, sans pour autant lâcher Frédéric. Frédéric pleurait et s'essuyait les joues avec la manche de son bras libre en se barbouillant toute la figure. Intimidé, je me tus.

Quelqu'un avait appelé la police. Un policier arrivait sur sa bicyclette, suant, hors d'haleine. Il se fit tout raconter par la femme, qui parla à nouveau d'une tentative de vol.

Je tirai le policier par la manche.

– Monsieur l'agent, ce n'est pas lui, c'est moi qui ai cassé la vitrine avec ma balle.

La femme me jeta un regard terrible et se mit à hurler :

– Ne le croyez pas, monsieur l'agent ; il veut absolument protéger ce vaurien ; ne le croyez pas, il s'imagine que le Juif est son ami parce qu'ils habitent la même maison.

Le policier se pencha vers moi :

– Tu es trop petit pour comprendre, tu crois lui rendre service en prenant son parti. Ne sais-tu pas qu'il est juif ? Nous autres, grandes personnes, nous savons par expé-

rience ce que valent les Juifs ; impossible de leur faire confiance, ils sont faux et sournois ; et cette femme a bien vu ce qu'a fait ce petit Juif...

– Mais elle ne l'a pas vu ; il n'y avait que nous dans la rue et c'est moi qui ai cassé la vitre.

Le policier fronça les sourcils :

– Ainsi tu veux faire passer cette femme pour une menteuse !

Je voulais parler encore mais le policier m'en empêcha, saisit à son tour le poignet de Frédéric et le traîna vers notre maison, accompagné de la femme et d'une longue suite de badauds. Je m'étais joint à eux. A mi-chemin nous rencontrâmes M. Schneider ; Frédéric l'appela en sanglotant :

– Papa ! Papa !

M. Schneider regardait avec étonnement ce bizarre cortège. Il s'approcha, salua et jeta un regard stupéfait sur les uns et les autres.

– C'est votre fils ? demanda le policier.

Mais la femme ne le laissa pas poursuivre ; dans un flot de paroles elle répéta son récit, laissant pourtant de côté, cette fois, l'allusion aux Juifs.

M. Schneider écouta patiemment ; lorsqu'elle s'arrêta, il prit Frédéric par le menton, lui releva la tête pour le regarder dans les yeux et demanda avec gravité :

– Frédéric, as-tu fait exprès de briser la vitrine ?

Frédéric secoua la tête en sanglotant, et moi je me mis à crier :

– C'est moi, monsieur Schneider, qui ai lancé ma balle, mais je ne l'ai pas fait exprès.

Et je lui montrai ma petite balle de caoutchouc mousse. Frédéric m'approuva de la tête. M. Schneider parut réfléchir un instant, puis dit à la femme :

– Si vous pouvez répéter sous la foi du serment ce que vous venez de raconter, assignez-moi en justice. Vous savez qui je suis et vous connaissez mon adresse.

La commerçante resta bouche bée. M. Schneider sortit son portefeuille et dit d'un ton sec :

– A présent, monsieur l'agent, je vous prie de relâcher mon fils ; je vais rembourser les dégâts sans plus attendre. »

Hans Peter Richter,
Mon ami Frédéric,
traduction de Christiane Prélet,

Le Renard dans l'île

Le jeune Pascalet et Gatzo le bohémien découvrent ensemble les secrets de la rivière et de son île. Mais leur amitié devient parfois orageuse, car Gatzo est un enfant sauvage, à la fois fier et taciturne.

« Ainsi vont les cœurs. Une même amitié peut en même temps occuper un chien, un enfant, et quelquefois un homme.

La mienne avec Gatzo restait ce qu'elle avait toujours été, de tout temps, plus réservée que ne le veut cet âge. Depuis l'aventure de l'île, elle était devenue si taciturne, du fait de Gatzo, que parfois je me demandais si je ne l'avais pas blessé sans le savoir. Mais l'interroger là-dessus passait mes forces. C'eût été prier. J'étais, moi aussi, assez fier pour me refuser à ce pas, que je jugeais humiliant. Avec d'autres garçons, je m'y serais risqué. Avec Gatzo, il m'était impossible de le faire.

Quelquefois, soit par vanité, soit par gentillesse d'enfant (qui pourrait le dire ?) je lui montrais mes cahiers et mes livres de classe. Les cahiers propres et enluminés, marges et couvertures, de dessins aux vives couleurs, et les livres pleins de gravures qui me passionnaient. Car j'aimais ce qu'on m'enseignait, en ces temps lointains de l'école, fût-ce la pile de Volta ou la pauvre grenouille du vieux Galvani !... Mais ces rares merveilles laissaient Gatzo tout à fait insensible. Il bâillait. J'en éprouvais une mortification, qui s'atténuait assez vite, mais dont il restait toujours quelque trace...

Néanmoins j'étais son ami. Il était le mien. Le pacte tacite résistait encore à l'humeur, à la dérobade, au silence. Et les jours passaient...

Ma mère disait de Gatzo :

– C'est un garçon indifférent. Ni chaud ni froid, qu'il pleuve derrière ou devant...

Tante Martine le niait. Elle avait un faible pour lui, qui ne supportait aucune critique. »

Henri Bosco,
Le Renard dans l'île,

3
SOLUTIONS DES JEUX

Êtes-vous bien dans votre peau ?

(p. 131)

Si vous avez plus de △ : quelle que soit la situation, vous vous sentez à l'aise et sûr de vous. Rien ne vous arrête, aucune situation ne vous embarrasse ; vous êtes comme un poisson dans l'eau.

Si vous avez plus de ○ : vous êtes dans l'ensemble satisfait de vous. Vous aimeriez cependant changer certains traits de votre physique ou de votre personnalité. Souvenez-vous : tout le monde a des défauts et des qualités.

Si vous avez plus de □ : vous n'avez pas confiance en vous ni en vos capacités. Vous craignez toujours d'être ridicule et de ne pas être à la hauteur de la situation. Rassemblez votre courage pour affronter les moments difficiles. Vous verrez que vous êtes tout aussi capable que les autres.

Dix questions pour commencer

(p. 133)

1 : C (p. 9) - 2 : B (p. 10) - 3 : A (p. 20-21) - 4 : A (p. 12) - 5 : C (p. 18) - 6 : A (p. 18) - 7 : B (p. 23) - 8 : C (p. 26) - 9 : B (p. 32) - 10 : A (p. 36)

Si vous obtenez plus de 7 bonnes réponses : bravo ! Vous vous êtes fait un ami de Marcellin et vous l'avez bien compris. Allez donc vite le retrouver dans la suite du texte.

Si vous obtenez entre 5 et 7 bonnes réponses : je vous accorde que Marcellin est parfois un peu étrange mais ne faites pas comme ses camarades, ne le laissez pas de côté parce qu'il est difficile à comprendre. Retournez le voir avec un peu plus d'attention et il vous paraîtra sûrement très sympathique.

Si vous obtenez moins de 5 bonnes réponses : que se passe-t-il entre vous et Marcellin ? Vous êtes-vous disputés ? Il mérite plus d'attention que vous ne lui en avez porté. Relisez donc le début, regardez bien les dessins et vous vous en ferez un ami.

Un peu d'ordre

(p. 134)

1 : H - 2 : D - 3 : C - 4 : G - 5 : A - 6 : E - 7 : F - 8 : B

C'est tout le contraire

(p. 135)

1. Rougissait - 2. Questions - 3. Modernes - 4. Zéro - 5. Solitaire - 6. Compliquée - 7. Hiver - 8. Difficilement - 9. Éveillé - 10. Intéressant

Tout en couleur

(p. 136)

1 : F - 2 : E - 3 : A - 4 : C - 5 : D - 6 : B

La chasse à l'intrus

(p. 136)

1. Un miroir - **2.** Un piano

Comment serait votre ami idéal ?

(p. 137)

Si vous avez plus de △ : l'ami que vous avez choisi vous ressemble beaucoup. Il est important qu'il vous renvoie une image agréable de vous-même. Vous avez constitué votre propre monde et vous n'avez pas vraiment besoin de le partager. Vous n'aimez pas être dérangé. Chacun chez soi, on y est tellement bien !

Si vous avez plus de ○ : votre ami idéal est joueur comme vous. Vous êtes sociable et vous aimez le contact et la présence des autres. Les loisirs sont importants pour vous et avoir un ami pour les partager, c'est encore mieux !

Si vous avez plus de □ : pour vous, avoir un ami c'est essentiel. Vous êtes très sentimental et plutôt exclusif. Vous êtes l'ami fidèle. Votre ami sera différent des autres, totalement unique et irremplaçable. A la place de Marcellin, vous n'auriez jamais abandonné les recherches de la lettre !

Dix questions pour mieux comprendre

(p. 138)

1 : B (p. 48) - 2 : B (p. 45) - 3 : C (p. 73) - 4 : B (p. 47) - 5 : B (p. 50) - 6 : C (p. 78) - 7 : B (p. 87) - 8 : A (p. 86) - 9 : B (p. 79) - 10 : B (p. 91)

Si vous obtenez plus de 7 bonnes réponses : Marcellin et René sont devenus vos amis. Vous les suivez comme une ombre tout au long de l'histoire et ne les quittez pas des yeux. Vous avez gagné le badge du meilleur copain (et celui du meilleur lecteur...).

Si vous obtenez entre 5 et 7 bonnes réponses : votre amitié n'est pas très solide. Votre mémoire est parfois infidèle à moins que ce ne soit votre attention qui faiblisse. Pour vous, ce sera le badge de l'étourdi.

Si vous obtenez moins de 5 bonnes réponses : vous n'avez regardé que les dessins et négligé le texte. Vous méritez le badge du paresseux ! Allons, un petit effort : relisez ce livre, Marcellin et René vous y attendent.

Jeu de rimes

(p. 139)

Solitaire rime avec *rivière*
Eaux rime avec *oiseaux* et *maux*
La promenade de René suggère une rêverie poétique. La nature console René comme elle inspire les poètes.

CE QUI EST COMIQUE

Savez-vous ce qui est *comique*
Une oie jouant de la *musique*
Un pou qui parle du *Mexique*
Un bœuf retournant *l'as de pique*
Un clown qui n'est pas dans un *cirque*
Un âne chantant un *cantique*
Un loir champion *olympique*
Mais ce qui est le plus *comique*
C'est d'entendre un petit *moustique*
Répéter son *arithmétique*

Le courrier des copains

(p. 140)

Salut ! : Roland Bracot
Bonjour : Paul Balafroid (le frère de la sœur)
Cher Marcellin : les frères Lajaunie
Salut Augustin : Roger Ribaudou

Les mots font du bruit

(p. 141)

Plusieurs bruits sont possibles pour chaque mot. Voici une suggestion :
Pleurer : Bouuuu ! - Craquer : Crraccc ! - Sonner : Driiiing ! - Crisser : Criss ! Criss ! - Grignoter : Crunch ! Crunch ! - Miauler : Miaouuuuu ! - Applaudir : Clap ! Clap ! - Éclater : Paf !

Les onomatopées sont : craquer, crisser, miauler.

Vrai ou faux ?

(p. 141)

Vrai - faux - faux - vrai - vrai

Dans l'orchestre

(p. 142)

1. Violon - 2. Piano - 3. Trompette - 4. Flûte - 5. Gong - 6. Triangle - 7. Cor - 8. Contrebasse - 9. Alto - 10. Cymbales - 11. Harpe - 12. Violoncelle

Quel adulte feriez-vous ?

(p. 143)

Si vous avez plus de △: de vous, on dira sûrement : « Qu'est-ce qu'il fait jeune ! ». Vous tenez résolument à l'enfance, à ses jeux, son insouciance, et devenir un adulte ne vous tente pas du tout ! Il faut dire que vous en avez une vision... plutôt négative. Renseignez-vous, ce n'est peut-être pas si triste !

Si vous avez plus de ○: vous serez sûrement un « monsieur », et vous aurez des responsabilités, des secrétaires et des emplois du temps chargés. Mais c'est ce que vous voulez, n'est-ce pas ? N'oubliez pas de rêver en grandissant !

Si vous avez plus de □: chaque époque de la vie a selon vous ses charmes, aussi ne vous pressez pas de vouloir changer d'état. Vous êtes plutôt confiant dans le présent et l'avenir, et votre passé est plein de jolis souvenirs, déjà !

Dix questions pour conclure

(p. 144)

1. Non. Il dit : « C'est idiot de rougir comme ça ! » (p. 92)
2. Il a un téléphone, il prend sa voiture ou l'avion, il a des rendez-vous et une secrétaire, il est pressé. (pp. 94-95)
3. Non. Comme le jour de leur rencontre est pluvieux, les éternuements de René n'ont rien de remarquable. Et Marcellin Caillou a peut-être un peu oublié son ami. (p. 102)
4. Sur le temps : la pluie fait place au soleil ! Et sur la circulation : l'autobus a bien failli les écraser ! (pp. 106-107)
5. De son service militaire. (p. 108)
6. Marcellin et René, à l'inverse de la plupart des gens, se revoient après s'être retrouvés. (pp. 116-117)
7. Les éternuements fréquents de René chassent tous les animaux. (p. 121)
8. Michel. (p. 125)
9. Ils ne s'ennuient jamais ensemble. (p. 125)
10. Ils possèdent les mêmes anomalies que leur père. (p. 125)

Méli mélo dans les bureaux

(p. 144)

1. L'homme qui court vers l'ascenseur a un parapluie à la main
2. La pendule n'indique plus la même heure
3. L'ascenseur comporte désormais deux flèches montantes
4. A droite de l'ascenseur, le fumeur a perdu sa cigarette

5. L'homme qui se dirige vers la banquette porte maintenant des lunettes
6. Près de la réception, l'unique manteau blanc s'est teinté de gris
7. La première standardiste n'a plus de téléphone
8. L'homme que renseigne la seconde standardiste a perdu son imperméable
9. Sur la banquette, un journal a disparu des mains de son propriétaire
10. Son voisin de gauche n'a plus de cartable

Avez-vous l'œil ?

(p. 146)

Pages 92-93 : 17 « messieurs » portent une mallette
Page 94 : il y a eu 16 coups de téléphone
Pages 96-97 : c'est un Boeing 707
Page 98 : il y a 9 étages dans le bureau de Marcellin
Pages 114-115 : 6 est le nombre de chaises qu'on voit dans le jardin mais il y a également 6 immeubles
Page 119 : il y a 5 joueurs de pétanque

Charades

(p. 147)

1. Importun (un - port - thym)
Déménagement (dé - mai - nage - ment)
2. Inoffensives (i-nô-faon-si-vœu)

Pour être un monsieur

(p. 148)

1. Avion - 2. Ville - 3. Bureau - 4. Secrétaire - 5. Voiture - 6. Rendez-vous - 7. Téléphone - 8. Autobus

Un de perdu, huit de retrouvés !

(p. 149)

Horizontalement :
1. Compagnon - 2. Copain - 3. Familier
Verticalement :
1. Camarade - 2. Confident - 3. Ami - 4. Intime - 5. Frère

sempé 1968-69.

Fin